밀짚모자 일당

쵸파에몬 【 닌자 】
토니토니 쵸파

'새의 왕국'에서 '강한 약' 연구에 몰두하다,
재합류에 성공.

[선의 현상금 100베리]

루피타로 【 낭인 】
몽키·D·루피

해적왕을 꿈꾸는 청년. 2년의 수련을 거치고
동료와 합류. 신세계로 향한다!

[선장 현상금 15억베리]

오로비 【 게이샤 】
니코 로빈

혁명군 리더이자 루피의 아버지 드래곤이
있는 바르티고를 거쳐, 합류.

[고고학자 현상금 1억 3000만베리]

조로주로 【 낭인 】
롤로노아 조로

어두우르가나 섬에서 자존심을 버리고 미호크
에게 검의 가르침을 간청. 이후 합류에 성공.

[전투원 현상금 3억 2000만베리]

프라노스케 【 목수 】
프랑키

'미래국 벌지모어에서 자신의 몸을 더욱 개조.
'아머드 프랑키'가 되어 합류.

[조선공 현상금 9400만베리]

오나미 【 여닌자 】
나미

기후를 분석하는 나라, 작은 하늘섬
'웨더리아에서 신세계의 기후를 배워 합류.

[항해사 현상금 6600만베리]

본키치 【 유령 】
브룩

수장족에게 잡혀 구경거리가 되었으나, 대스타
'소울킹 브룩으로 출세해 합류.

[음악가 현상금 8300만베리]

우소하치 【 두꺼비 기름 장수 】
우솝

보인 열도에서, '저격의 제왕'이 되기 위해
헤라크레스의 가르침을 받고 합류.

[저격수 현상금 2억베리]

바다의 협객 징베 【 전(前) 왕의 부하 칠무해 】

인의를 관철하는 사나이. 빅 맘과의 격전 당시
루피를 도주시키기 위해 최후미를 맡았고,
습격 전에 합류.

[조타수 현상금 4억 3800만 베리]

상고로 【 소바장수 】
상디

뉴하프만 왕국에서 뉴커머 권법의 고수들과
대전. 한층 더 성장하여 합류.

[요리사 현상금 3억 3000만 베리]

Shanks
샹크스

'사황 중 한 사람. '위대한 항로' 후반
'신세계에서 루피를 기다린다.

[빨간 머리 해적단 선장]

와노쿠니 (코즈키 가문)

아카자야 아홉 남자

코즈키 모모노스케
[와노쿠니 쿠리 다이묘 (후계자)]

여우볼 킨에몬
[와노쿠니의 사무라이]

덴지로
[전(前) 환전상 쿄시로]

안개의 라이조
[와노쿠니의 닌자]

잔설의 키쿠노죠
[와노쿠니의 사무라이]

아슈라 동자 (슈텐마루)
[아타마야마 도적단 두령]

요코즈나 카와마츠
[와노쿠니의 사무라이]

이누아라시 공작
[모코모 공국 낮의 왕]

네코마무시 나리
[모코모 공국 밤의 왕]

소낙비 칸주로
[와노쿠니의 사무라이]

코즈키 히요리(코무라사키)
[모모노스케의 여동생]

트라팔가 로
[하트 해적단 선장]

불사조 마르코
[전(前) 흰 수염 해적단 1번대 대장]

이조
[전(前) 흰 수염 해적단 16번대 대장]

오타마

시노부

꽃의 효고로

키드 해적단

유스타스 키드
[키드 해적단 선장]

킬러[살인귀 카마조]
[키드 해적단 전투원]

캐럿

완다

백수 해적단

'정보꾼'

스크래치멘 아푸

[온에어 해적단 선장]

백수의 카이도
(사황)

수차례 고문과 사형을 당하고도 아무도 그를 죽일 수 없어, '최강의 생물로 불리는 해적.

[백수 해적단 총독]

'대간판'

화재(火災)의 킹

역재(疫災)의 퀸

가뭄해의 잭

'토비롯포'

블랙마리아

후즈 후

'신우치'

바질 호킨스

바오황

페이지원

울티

사사키

NUMBERS

인비

후가

잔키

쟈키

고키

롯키

난기

핫챠

쿠눈

쥬키

어 최악의 상황으로!! 하지만 카이도의 딸 야마토를 아군으로 삼고, 나아가 각자가 전력 배틀을 벌여 간부들을 격파해 세를 뒤집어 간다. 키드와 로는 빅 맘과, 상디와 조로는 퀸, 킹과의 직접 대결에 임하여 멋지게 승리를 거머쥔다. 남은 이도와 사투를 펼치는 루피, 극한 상태 속에서 고무고무 열매가 각성하며 기어 5를 발동!! 오래 걸린 오니가시마 결전에 판의 때가 엄습하려고 한다!!

빅 맘 해적단

빅 맘
샬롯 링링 【사황】

'사황' 중 한 사람. 통칭 빅 맘.
수명을 뽑아내는 '소울소울 열매 능력자.

[빅 맘 해적단 선장]

C·페로스페로
[샬롯 가 장남]

와노쿠니 (쿠로즈미 가문)

쿠로즈미 오로치

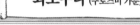

카이도와 손을 잡고 와노쿠니를 지배. 코즈키
가문에 원한이 있으며 교활하게 군다.

[와노쿠니 쇼군]

쿠로즈미 칸주로
[오로치 측 내통자]

X 드레이크
[전(前) 토비롯포]

후쿠로쿠쥬
[전(前) '오니와반슈' 대장]

호테이
[전(前) '순찰조' 총장]

오로치 오니와반슈
[전(前) 와노쿠니 쇼군 직속 닌자 부대]

야마토 (자칭: 코즈키 오뎅)
[카이도의 딸]

백수 해적단을 이탈하고 루피와 공투(共鬪)로!

다이후고

스피드

햄릿

포트릭스

브리스콜라

미제르카

포커

오타마의 능력으로 백수 해적단을 배반!

Story · 줄거리 ·

2년의 수행을 거치고, 샤본디 제도에서 재결집에 성공한 밀짚모자 일당. 그들은 어인섬을 거쳐 마침내 최후의
바다, '신세계'에 이른다!! 루피 일행은 모모노스케 측과 동맹을 맺고, '사황 카이도 격파'를 위해 와노쿠니에 상륙.
동지를 모아 오니가시마로 돌입한다!! 수적 열세인 일행은, 기습을 꾀해 고전하지만, 사황 빅 맘과 카이도가 동맹을

ONE PIECE
vol. 104
'와노쿠니 쇼군 코즈키 모모노스케'

CONTENTS

ONE PIECE vol.104

ONE PIECE

vol.104

ONE PIECE

로저가
능력자가
아니었듯이…!!!

세상은
잘 짜여
있지.

패기만이!!!

빠이 ~~~잉!!!

으왓!

모든 것을
능가한다!!!

…하하하. 카이도를 몰아넣었단 게로군….

'오니가시마'가 떨어질 거 같답니다!!

효고로 두목, 무사하신지?!

해골 돔 내부

우리는 낙하해서 죽는다…!!

밀짚모자가 카이도를 쓰러트리면

어느 쪽이 좋겠나…?

여보게, 자네들………!!

우리가 살아남는다는 건…

이겨준다면 그 녀석들은 즐겁게

살아갈 수 있어!!

고맙구먼!! 좋은 나라가 될 거야!!

난 마누라가 '링고'에 있지!!

나는 '하쿠마이'에 애가 있어.

…뭐야, 고작 그런 거라면….

카이도가 이긴다는 소리…!!!

?!!

무언가 진동으로 해루석 못이…!!!

뽀……!! 뽑혔다 ………!!

이봐…

성안 '보물전' 2층—

!!

츙!

네 딸도…!! 데리고 가마아———!!!

크흡. 보고 있나, 오뎅…!!!

빌어먹을… 하다못해 길동무라도…!!!

와장창!!

에엑————!!!

엇.

야!! 모모~~~~~!!!

두

루피……

D(독자) : 오늘은 PTA에서 온 중요한 이야기가 있습니다. SBS는 뭘 하든지
자유로운 코너이기는 합니다만,
어린 자녀분들도 읽기 때문에
질문 내용, 단어 선택에 충분히
주의해주십시오! 그럼 이제
SBS를 시작합니다!

　　　　P.N. PTA 임원 사나닷치

O(오다) : 아앗! 시작해버렸네... 아니... 그것보다도.... 사나다 군 자네...
참— 사람이란 나이를 먹고 볼 일이네요. 그럼 차분한 SBS...
어디 시작해볼까요.

D : 오다 쌤, 안녕하세요! 931화에서 상디가 오소바 마스크의
투과 능력은 레이드 슈트의 힘이라고 말했습니다만, 레이주가
독을 만들어내거나 조종하는 것도 레이드 슈트의 힘일까요?
제가 독을 먹었을 때, 만약 레이주가 슈트를 안 갖고 있더라도
제 목숨을 부지할 수 있을까요?　　　　P.N. 나인

O : 음—. 우선, 능력은 슈트의 힘입니다만, 저지는 계획적으로
각각의 '능력'에 적합한 인체를 만드는 것부터 시작했으므로
레이주는 어느 정도 독에 강한 사람이기는 합니다. 그러니까
독을 빨아내는 것쯤은 맨몸으로도 할 수 있습니다. 남은 건
레이주가 당신을 구하고 싶다고 생각하느냐 아니냐겠죠(웃음)

D : 쵸파 같은 귀여운 너구리가 돼서 로빈 양에게
한껏 응석 부리고 싶어요.　　　　P.N. 에헤헤

O : 그 둘의 관계는 자연히 미소 짓게 돼죠—.
그렇댄다, 쵸파! 쵸파...?!

C(쵸파) : **너구리 아니야—!!!**

28

제 1048 화
'20년'

'오니가시마'를
치우라고
~~~?!!

잠깐, 루피!!
무리외다!!

우오오
오오오
~~~!!!

무리……

'코즈키
가문'을
부흥시키는
겁니다!!

미래에
반드시

쿨럭!!
끄흐…!!
빌어먹을!!!

코무라사키이
~~~!!!

떠

리잉!!

쿠로즈미의
원념을
얕보지 마라아
~~~~!!!

끄후하하!!
길동무로
삼아주마!!

팩장

헙.

창!!

43

아수라장
이군….

술잔을
나누자꾸나!!!
쓰하햐.

저세상에서
다시

?!

(이시카와 현 · I♡OP씨)

D : 오다 선생님, 안녕하세요! CP0 멤버들 중
한 사람 이름이 마하 씨라고 판명됐습니다만,
다른 멤버분들의 이름도 부디
판명되도록 해주세요!!　　　P.N. YAMATORO

마하!!

O : 네—.

게르니카　　　　요셉　　　　마하　　　　지스몬다

D : 라쿠고(落語)에 〈소낙비 칸고로〉라는 이야기가 있는데요,
'소낙비 칸고로'는 거기에서 따온 것이 맞습니까?
아니면 칸쥬로의 유래가 따로 있나요?　　　P.N. 37

O : 라쿠고에도 있고, 야담에도 있죠. '소낙비'는
칸쥬로의 경우, 피의 비를 내리게 한다는 무서운 뜻입니다.
칸쥬로에게는 사실 모델이 있는데 '히다리 진고로'라는
조각가 이야기로, '왼손잡이'로 파서 만든 조각이 너무 훌륭해 생명이 깃들어
움직여대더라는 뭐 그런 이야기인데요, 칸쥬로는 그 '반대'랍니다—.
이런 자잘한 부분은 아무래도 좋습니다만, 칸쥬로는 못난 그림은 전부
왼손으로 그렸어요. 배신한 후에는 오른손잡이입니다. 열받네요—!!

D : 최근 SBS에 소지품의 의인화가 유행한다는 소리를 들었는데요.
조로의 복대나 피어스도 부탁드려요! 분명 상디가 질투할 만큼
미인일 테죠!!!　　　　　P.N. 그냥 변태

O : 아, 여성인 게 낫나?

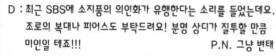

복대녀

감아
버린다?

왈
왈

피어스
세자매

시끌 시끌

46

제 1049 화
'목표로 삼는 세계'

와아아아아 아아…!!

쿠쿠쿠쿠쿵!!

만들어, 모모노스케 군!!

루피가 이긴다…!!! 반드시 이겨!!!

오니가시마 돔 안 '라이브 플로어'—

으왁—!!

쿵쾅♪

와아 아 아 아 아 아 아아…!!

나와라, '불꽃 구름'!!

퍼엉!

응?

끄악—!!

쿵쾅♪

퍼엉!

소인의 뜻대로오~~!!!

도쿄도 · 호타니 나이토 씨

D : 야마토는… 팬티입니까? 훈도시입니까? P.N. 토몬

O : 훈도시예요. 사무라이니까!

D : '빨간 머리 해적단' 등장 멤버가 1화 때에 비해
줄어든 느낌이 듭니다만, 이건 부대를 나누어서
등장하지 않았던 것뿐일까요?

P.N. 네기자이루

O : 어딜 보고 하는 소린지 모르겠지만, 샹크스는 '대두목'으로 불리며,
101권에서 소개한 멤버는 '대간부'라고 불릴 정도로 큰 해적단이고,
나아가 산하 해적단까지 있습니다. 항상 전원이서 행동하면
야단이니까 소수로 보일 때가 있을지도 모르겠습니다만,
무지막지하게 많이 있습니다.
'밀짚모자 대선단'의 이미지에 가깝습니다.
샹크스가 모두의 지배자! 같은 느낌은 아니에요.

D : 토비롯포의 취미를 가르쳐주세요!! P.N. 몰리

O : 네—.

후즈 후

카드 게임
(갬블)

블랙마리아

복싱, 연애

X 드레이크

파충류 마니아.
천체물리학

사사키

술 만들기

울티

액세서리
제작.
동생 괴롭히기

페이지원

낚시
(혼자가 되고
싶다)

64

제 1050 화
'영예'

'와노쿠니'
상공─

따따 따딱

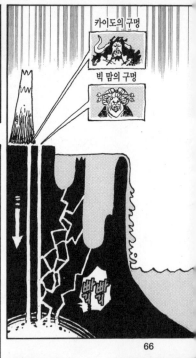

카이도의 구멍

빅 맘의 구멍

빠
빠
빠
직

66

루피!!

'오니가시마'
해골 돔
옥상의
싸움─

쿵
쾅

벙
벙

떠들썩하게

축제가 끝나려 하고 있었다.

한편, 도읍에서는

있잖아, 텐구 아저씨!!

......

......

훠훠ー이!!

잡히면 죽는다는 거 알고 있었대.

우리 아빠 옛날에 높은 사람이었대!

!!

야스이에 공은... 이 나라에

기회를 준 것이다…!!

저세상으로 떠난다!!

에비스 마을의 주책바가지가

그런데 스스로 잡히러 간 거라고

누가 말했는데!! 어째서일까.

토코!! 설마 너, 그 열매를 먹은 거냐.

아하하 하하.

야스이에 공이 그때…!! 그렇게 나서지 않았다면

그때까지 쌓아 올린 모든 '희망의 불씨'가 꺼졌을 테지.

그는 '와노쿠니'의 미래를 지키기 위해 목숨을 바친 것이야….

아 하하 하하하..

아빠한테도 주지 않겠니?

그럼 나……

편지 내용 바꿀래…!!

물론이고말고.

앞으로 이어질 미래에서 네가

행복하게 살 수 있도록….

날 위해서?

무사로서… 더할 나위 없는

………!! 그렇구나, 그건…

!!

이거면 될까?

………

……!!

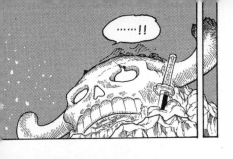

……!!

그립구만 나앙.

불축제의 '하늘배'인 게냐!

어쿠쿠,

틀림없다니!! 너가라들!!!

카이도는 루피의 손에 땅속 깊숙이 처박혔다!!!

쿵 챙♪

훠— 훠이——!!!

와아 아아 아아아아 와아아

아아아

네 네,
간호해야겠군요!!

미야기~~,
중상입은
사람투성이야!!

쵸파
선생님!!
이쪽 좀
와줘!!

쵸파,
조로가 눈을
안 떠!!

쵸파, 중상
2명이야~~!!

꽉와

잘 생각해
보았소이다.

들리는가?

즈니샤….

………
즈니샤….

와아아아…

아아아아아아아아…

……

……

……
……

아직은
하지
않겠소.

'개국'
말인데…

너를
의심하지
않아………!!

알겠다….
나는
네 판단을
따르겠다.

뭐지?
지진인가?!

스르륵…

응?

스르륵…

으음…
미안하오.

우오오오오오오오

단념하시지!!

긴장
풀었다간
진다!!

덜컹…!!

와아아아아아아아아

콰과아앙!!

기뻐하기에는
일러!!

머릿수로는
우리 쪽이
위야!!

분화?!

우와
——!!

오니가시마
……?!!

어……?!!

'우동'
방향이네.

카이도 쪽이
무슨 일 벌이는
중인가.

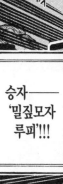

승자——
'밀짚모자
루피'!!!

카……
카이도?!!
………

님.

?!!

괜찮소이다!!
이것은 위기가
아니오!!!

왜 여기에!!
오늘만큼은
우리의
자유로운
하루…

방금 그 분화야말로 '백수 해적단' '총독'

소인은 카이도가 아니외다!!

카이도의 막을 내리는 북소리!!!

!!

퍼엉!

?! 엇…

에엑~~~ ~~~?!!

몇인가 있는데…?!

사람이…

……… ……!!

D :

P.N. 훠훠이—!

O : 와—! 하늘배가... 예쁘네—!
네 소원은... 하늘에 닿았어!
이제 SBS에서 변태는
사라졌어...!! PTA 여러분♡
우리는
건〰전〰합니다〰〰!!

D : 오다 형님, 오후 인사 박습다!! 히요리는
어떻게 오니가시마에 갈 수 있었던 겁까?
P.N. 모키

O : 하긴, 어느샌가 있더라죠. 하지만 히요리는 작심한 지
오래됐어요. 오이란으로서 꽃의 도읍 성에 드나들면서
적의 행동을 전부 파악해뒀던 까닭에,
오로치가 카이도에게 바칠 '공물' 속에 숨어서
바다를 건넜습니다. 그래서 갑작스레 등장한 곳이 '보물전'이었던 겁니다!

D : 키드와 킬러가 해적단을 결성한 계기나, 히트, 와이어와 만난
경위 같은 게 있을까요? P.N. 류스이

O : 물론 있고 말고요. 사우스 블루의 어느 섬에서 태어난 이 4명,
키드와 킬러는 어릴 때부터 알고 지낸 소꿉친구.
나라는 정부의 비가맹국이고 임금님처럼 갱이 섬을 다스리고
있습니다. 섬에 있는 4개의 마을에는 각각 불량 그룹이 있고,
그 4명의 보스가 키드, 킬러, 와이어, 히트로, 매일 항쟁이
끊이질 않았어요. 어느 날, 키드의 절친이 갱에게 살해당하는
일이 벌어졌습니다. 이름은 '빅토리아. S(실튼). 도르야나이카'.
화가 치밀은 키드는 4개의 그룹을 통합해 나라 최고의 갱을
쓰러트렸어요. '이런 좁은 세계에 있기 싫다'라며 그대로 악우들을
이끌고 해적이 되었습니다. 배의 이름은 '빅토리아 펑크 호'예요.

키드　킬러
히트　와이어

제 1051 화
'와노쿠니 쇼군
코즈키 모모노스케'

제르마 66의 앗 무감정 해유기 vol.13 '제르마의 탈출'

서둘러.

………
……!!

토키 님의 말씀은!! 사실이었던 거야…!!!

모두 20년 전에 죽은 줄로만 알았는데…!!

'아카자야 아홉 남자'다!!! 틀림없어!!!

와아아아아아아아아아아아

키비

하구마이

링고

마을이 내려앉는 줄 알았네.

아까 전 지진?

도읍에서 무슨 일이 생겼나 본데….

우동

통신이나 할 때가 아니라구!!

도읍에서 영상이!!

바쿠라 마을로~~!!

쿠리

와!

꽤!

시끌
시끌

'꽃의 도읍'에서…!!

통신이 들어왔어.

무슨 일이야.

술렁 술렁

빛그림 튼다.

뭔데 뭔데?

아하하하하!!

에비스 마을

와글

와글

너희에 대해서도 쭉 신문으로 찾아봤었어.

아냐, 아냐!! 나는 적이 아니야!!

엑—?! 아직 싸움이 안 끝난 건가요?!

카이도의 아드을?!

술렁 렁!!

와, 인간인지 의심스러운 사람들이 많다 싶긴 했는데 만나보니 의외로….

?!

시끌
시끌

네 뿔은?!

카이도의?!

내 '술법'은 같은 달이 뜨면 풀리야요.

한 달이라는 소린가?

그러고 보니 쟤네 입장은 어떻게 되는 거지?

거기 얌전히 있어, 너희들!!

확실히 적은 아닌 듯하군.

말순이 언니, 나도 그랬으면 좋겠시야요!

하지만 가신이 아니라… 엄마처럼…

주인님! 저는 이대로가 행복해요!!

분명 마음 편한 쪽을 고르는 거겠죠.

그대로 잘 따르는 아이도 있걸랑요.

한 달이 지나면 원래대로 돌아오는 동물도 있고…

89

킨 씨 일행도 무릎을 꿇었어!!

누구야, 저거…

저거 봐!! 코무라사키도,

계속 옆에 있어 주면 좋겠는데♡

이 나라를
핍박하는
모든 '악'을
우리가 지금

띠리잉

카이도,
오로치,
'백수
해적단'!!

징벌하였소!!!

에엑~~?!!

무슨 동맹이
뭐 어째……?!

……

가증스러운
오로치는
이제 없는
거야?!

그 괴물들을…!!
쓰러트렸다고?!!

뭐어어어
~~~?!!

와아아아

이 습격이
있기까지의
은인들의
존재는

결코
잊지 않을
것이오………!!!

……
……

와아아아아

와아아아아
아아아아~!!!

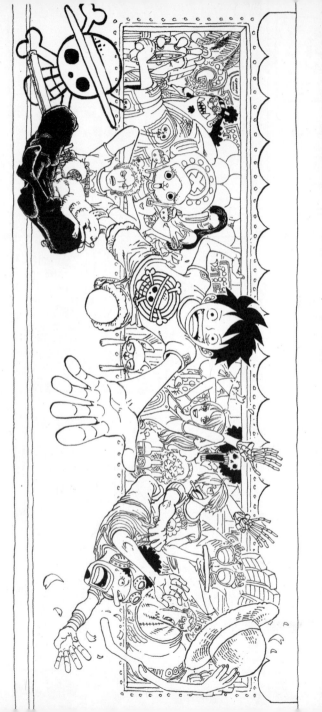

그림 색칠 코너

제 1052 화
'새로운 아침'

성지
'마리조아'
—

'니카'가…

ㅋㅋㅋㅋㅋㅋ
우.

끝내
이 세상에
나타났는가
……!!

이건
덮을 수 없어…!!
정보는 금방
세계에
퍼질 거다.

타이밍은
최악이라고밖에
………!!
어떻게
대처한담.

'사황'이
둘이나 동시에
무너지다니….

와노쿠니
근해—

'조'가
사라졌다는 게
사실인가?

네…!!
천천히
안개
속으로.

…그건
대체…!!

─그럼
'개국'은 없다…!!
'와노쿠니'는

변함없이
철벽의
요새겠군…!!

——니코 로빈
정도는
데리고 돌아올 수
있겠지…?

두웅…!!

!!

상황에 맞춰
작전을 바꾼 걸
테지…!!
꽤 명석한 자가
있는 모양이군.

이러면
대군을 들여보내
'지배'하는 것 또한
불가능해.

CPO!!

CPO!!

칙칙

!

반드시!!

…칙칙
…칙칙
…!!

거기서
기다리라고.

누구냐…
너는!!

칙칙…

너희
말이야!!

방해
염파입니다!!

쿠오오오…

내가
그쪽에…
갈 테니까!! 칙칙

칙칙…

'코즈키 가문'의 승리에 떠들썩했다.

'와노쿠니'는 20년의 악정에서 해방되어

그걸 물으러⋯⋯?

드레이크⋯ 네놈, 해병⋯이냐?

⋯⋯ 대답할 거 같나⋯!!

하아⋯ 하아⋯.

'오니가시마' 성안──

⋯⋯ ⋯!!

카이도를 배신하지 않으면 '안전'하다고

쿨럭.

점괘로⋯ 나온 것 아니었나⋯.

⋯⋯ ⋯⋯

꼴사나운 모습이군⋯.

하아⋯ 하아⋯.

지켜낸 사무라이가 바로!!

아카자야 아홉 남자 중 한 사람 덴지로 공이다!!

으아아아아아아아 무하~!!

그걸 '쿄시로'라는 협객으로 둔갑해서

꿀꺽 꿀꺽

아름다운 충의(忠義)의 이야기!!

——이미 이 나라에는 없다는 거 같던데……!!

들었어. '조이보이'라는 전사의 이름 ~~~~~!!

카이도를 쓰러트린 남자를 아나?

도원 농원——

한번 보고 싶었어어!! '도신 님'과 어깨를 견주는 영웅이야!!

시골 시끌

이 도신 류마처럼

그래.

사당을 세운다고?

'링고 영겹의 무덤——

'꽃의 도읍'이 한눈에 들어오는 언덕에…

그걸 에워싸듯 야스이에 공을 시작으로

나라를 위해 싸운 다이묘들을 ‥‥‥

오뎅 님을 모신다…!!

아슈라와 이조를………!!

띠 링!!

그리고 ‥‥‥

물론이지. 고향 땅이 제일이니까…!!

──그러면 되겠나! 마르코 공.

요 녀석! 살아있었을 줄은.

캇파파. 소인들도 언젠가 거기 들어가야겠구나, 오니마루!

컹-!!

컹

'영웅들'에게 무슨 일이 생기면

견딜 수 없을 걸세……!!

—…우리가 살아남고……

소인들도 마찬가지라네…….

난 또… 살아남고 말았군….

야마토 군!!

응?

오라버니, 오라버니!!

쿵쾅 쿵쾅

우당 탕탕

배고파, 안 배고파.

꼬르륵~

안 배고파, 안 배고파.

무사하기를 기도하세나.

죽염 죽염

와글 와글

시끌 시끌

루피타로 씨와 조로주로 씨가!!

눈을 뜨셨답니다 ~~~ ~~!!!

루카

앙!!

푸헤흑!!

말괄량이인 점은 여전하구나 ~~!!!

아프지는 않다만~~!!

꼬르륵~

핫…

30억 베리
~~~~
~~~~~~?!!

와노쿠니
'우동'

굉장해,
캡틴——!!

두목
~~!!

세상에
퍼지는 데
시간 따윈
필요 없었다.

몇십 년을
바다에서 군림한
두 '황제'를
무찌른

야,
키드 녀석은
어디
간 건데?

낯빛이
바뀌어선.

우리도 가자.
오늘은
연회라나
보다!!

핫핫,
그 녀석이면
그럴 만하지.

'꽃의
도읍'
이겠지….

마침
잘됐네!!
축하연
하자구——!!

귀찮아
지겠군….

…….

DEAD OR ALIVE
TRAFALGAR·LAW
₿ 3,000,000,000
MARINE

텐구 씨…!!

어떻게 내 이름을…

니코 로빈.

관심 있나?

성안 지하—

여기는 내 비밀의 취미용 방이자…

어째서 당신의 컬렉션이 여기에?

푸욱!!

그다지.

귀엽지? 미소녀 코케시.

내 컬렉션이다 ………．

126

도공 일에 재능은 있었으나 그저 취미라네.

정체가 뭐죠? 도공이었던 게…．

유폐?! 당신

?!

몇 년이나 이곳에 유폐돼있었지…

'정치'란 피곤하단 말이지…

?!

딸각..

코즈키
오뎅의
아비다!!

내 이름은
'코즈키
스키야키'.

때

!!!

어?!

전(前) 와노쿠니 쇼군
코즈키 스키야키

내가 바로 오로치에게
'와노쿠니'를 빼앗긴
장본인이다…

살아있었다고…
누구에게
말하겠는가
………?!

가신들은 어쩌면
눈치챘을지도
모른다만……

모르지….
알려줄 마음도
없어.

모모는
이 사실을…?

저기,
텐구 씨
……!!

그 자리에서
배를 가르려
하였다만…

오뎅은 죽고
'와노쿠니'는
변해 있었다.

겨우 목숨을
부지해
이 방에서
빠져나왔을
때는…

아아아아
~~~~~
~~~!!!

일부러
살을 빼지 않는
타입인
내가아~~.

퀸 씨!!

으…

킹 씨!!

푸르르
르르르
르…!!

푸하. 땡그렁!

벌컥 꿀깍
벌컥!! 꿀깍…

뻐억!!
뻐억!!

흐극!!

하지 말라고 했지?!
간부 따위한테 당하면
내 체면이 안 선다고!!

해군은 지금
'뒷수습'에 돌릴 수
있는 전력이
없어….
내 생각대로
너희는…!!

SHANKS
빨간 머리 샹크스

이게
새로운
황제들

왕

축제 가락이
흥겹구만…….

와아아아아아

와아아아아아아

따악!!

뭘
칭칭 감고
난리야!!

빠방!!

!!!

이걸
보라고!!

해외에서
무슨 일이
벌어졌는지
모르겠지만…

난 너를
없애러
온 거다.

절대 방해하게 두지 않아!!

이제 겨우 진심으로 해방된 사람들의 연회를

20년의 지배를 버티고…

'밀짚모자 루피'에게 도달할 거다!!!

누구냐, 너는.

알 아 아 아 아 아 아…

쿵쾅쿵쾅…

하아. 하아. 하아.

야마토 공…!!

카이도의 아들이다!!!

나는 야마토!!

아직 상처도 낫지 않은 영웅들을 건드리는 짓은 절대 용납할 수 없소~!!!

지당한 말이외다, 야마토!!

?!!

아야야~~!!

'보로브레스'!!!

쿠왓!!

번쩍!!

?!!

용~~?!

카이도의 …?!

패기 매~섭네…!!!

……… ………

아주 손 쓸 도리가 없는 원숭이 괴물 같은

흉포한 남자라고 들었는데…

두목네들 '밀짚모자 루피'를 아는구나…!!

'밀짚모자 루피'로 말하자면—……

시끌 시끌

SORE OMAE DAYO

음— 그건 그렇긴 한데.

……
……

아— 루피의 부하라는… 바르토 뭐시기가

지금 우리 영역에서 무슨 일이 벌어졌더라?

뭐어~~ ~~?!!

루피와 만날 생각은 없다…!!

우리 깃발을 태우고 루피의 해적기로 갈아 끼웠지…

그 뒷수습은 어떡하나… 내 신뢰는?

'염제(炎帝) 사보'라 불리고 있지.

알고 있다만 더는 운용할 병력이 없다.

혁명군을 이 이상 내버려 두면 안 돼, 아카이누.

신세계 '해군본부' ——

녀석은 지금 세계의 영웅!!

네펠타리 코브라 살해는

유일한 '레벨리' 참가자

800년 전… '세계정부'를 만든 '최초의 20인'의 혈통 중

혁명군 참모총장 알라바스타 왕국 국왕
사보, 코브라 왕을 살해

혁명군에게 큰 의미가 있었다!!!

배는 아직 레드 포트에………!! 도저히 귀국할 수 없는 상황이지….

알라바스타는 어수선하겠군.

현재 조사 중.

사건의 관련성과 함께…

MARIN

해군 범죄 수사국 국장
쿠로우마 (텐세이)

이야기가 까다롭게 됐다.

신들의 땅에서 심의 중이고, '신의 기사단'이 개입하는 바람에

묘스가르드 성이 범인을 놓아준 일에 대해선…

'차를로스 성(聖) 살인미수'는 해결로 봐도 되나?

내버려 두면 돼.

'8개국 혁명'의 나라들,

세계 곳곳 반란의 불씨들 경우에는

어느 사건이든… 전부 사보가 뒤에서 수작을 부리는 게 아니냐며

세간은 아주 신바람이 났고……. 얼마 전 벌어진 왕의 귀환을 노린

원수가 돼버렸군…!!

골때리는 시대에

뭔 놈이 덤벼들건 간에…

죄다 박살 내면 그뿐이다만……!!!

그 인기는 지금…… 혁명군 총사령관 '반역룡' 드래곤을

사ー보!!

능가하는 영향력이라 할 수 있어!!

지금! 시대가 변하려고 한다!!!

D : 혼젠(本膳) 요리를 준비하고 짜──안! 하고 등장한
　　시중꾼의 이름은 무엇인가요?　　　　　P.N. 토몬

O : 그 사람은 시중꾼이 아니라 요리장이에요!
　　와노쿠니에서 제일가는 요리사이자, 다도의 달인,
　　센노 리큐루 씨입니다!

D : 아름다운 SBS♡ 나미나 로빈은 너무 예쁩니다만,
　　화장하는가요? 두 사람의
　　미용법에 대해서 들려주시면
　　좋겠어요.

　　　　　　　　P.N. 샷키를 동경하는 27세

O : 물어볼까요. 어차피 아무것도
　　안 하는데? 같은 소릴 하겠죠─?

N (나미) : 하고 있거든?!! 최소한의 화장은 하고 있고, 바다는 스킨 케어가 중요하다구!
　　　　　제우스가 해주는 사우나라든가, 로빈의 마사지는 최고!
　　　　　식사는 상디가 관리해주고, 화장수, 미용액, 크림, 팩
　　　　　이런 건 쵸파가 만들어 주고, 헤어 케어는 브룩이 잘 알아.
　　　　　피트니스도 하고 있어!

O : 동료를 전면 활용해서 노력도 하고 있었네요!!

D : 저도 나미 씨의 특대 수수경단, 만지게 해주세요!
　　　　　　　　　　　　　P.N. 사나닷치

O : ? (두 번째 목격) ? 아니, 사나다──!!!
　　너...!! 인격 파탄 난 거 아니냐?!
　　PTA 임원 관둬버려!! 끝이유 SBS─!!
　　제기랄─!! 다음 권에서 또 봐요〰!!

원피스

ONE PIECE

제1055화 '신시대'

'화둔
(火遁)'!!!

인법
'두루두루
술법'!!

꼬아악~~!!!

해군본부
'대장'을
해먹겠느냐
이 말씀이야~~!!!

?!

'방화림
(防火林)'!!!

그따위
뻔한 약점을
드러내놓고!!

이럴 것
같냐…

라이조!!!

윽!!

그보다 더 지하——

코즈키 스키야키의 비밀의 방

성안 지하——

발밑을 주의하게. 이끼가 피었으니.

하이에나인 것처럼 말하지 마.

당연히 수상하다 싶지.

그 녀석들과 함께 있지 않으니까

용케 냄새를 맡았네…

짧은 시간에 '포네그리프'는

——허나 대간판 '잭'이 어인족인지라

발견되었지…

카이도, 오로치에게도 이 루트는 알려주지 않았다.

백문이
불여일견…!!

……

왜
어인이면
찾을 수
있죠…?!

뜨벅
뚜
걱

?

몇백 년 치의
과거로….

어디
보자.

언제까지
내려가는
거지.

파앗!

치사해….

!!!

유리블록이
박혀있어서
말이네.

어렴풋이 빛이
새어드는 건…?

……
……

봐보게나….
이곳은 이미
해저니까….

와노쿠니가 있었다.

일찍이 거대한 '후지산'을 보유한

——즉, 이런 거다….

사람들은 살 수 없게 돼버린 마을을 버리고…

빗물이 채워져 갔지….

어떤 시기에 섬을 에워싸듯이 벽이 만들어져

이것이 바닷물이 아닌 만큼 원형은 유지되는 편일 테지.

나라를 세웠다.

산 중턱에 새로운 토지를 가꾸어

그렇다네.

그게 지금의 '와노쿠니'!!

로드 '포네그리프'!!

도착했다….

끼깃끾끾

여기서 더 밑의 지하에…

현 위치

옛 와노쿠니

──이곳은 후지산 기슭 동굴의… 고지대다.

하나만 더 찾으면 라프텔에 갈 수 있어!!

이걸로 세 개째….

확실해……

나 역시 본 적이 없고… 지금 보여줄 수도 없다.

쿠쿠쿠쿠쿠…

고대병기 '플루톤'이 잠들어 있다고 하지…!!

!!!

—즉, '개국'이란 나라의 방어벽을 파괴하고

'고대병기를 해방'함을 뜻한다!!

'플루톤'을 꺼내기 위해서는

벽을 치워야 할 필요가 있다네!!

—그 또한 알기 어렵다.

오뎅이 해외에서 무엇을 알았는지

이것이 쇼군 가문에 전해지는 모든 것—.

코즈키 오뎅은… 어째서 그런 일을 하려고…

'개국'이 병기의 해방?!

난 여기 오지 않았을 거다!!

이해가 안 되나…?! 카이도가 있었다면

인간 따위가 '대자연'을 당해낼 턱이 없지!!!

꽃의 도읍 부근—

?!

이 나라에 적이 다가오지 못하게 하는 억지력이었던 거다!!!

슬픈 이야기지만 카이도의 지배조차

그 목을 따거든!! 돌아가 주마!!!

쿠과과과과

'밀짚모자 루피'를 데려와라!!

으왓!!

그대는 쭉 오니가시마에 갇혀 있다가

헉— 헉—. 우오오오

그건 아니 될 말이외다!!

루피 일행한테 의지하자!! 이런 놈한테 안 질 거야!!

마침내 자유를 얻는 것이오!!!

그대의 도움도 받지 않을 것이오!! 빌려주지 마시오!!

?!

169

마치
카이도의…!!

모모노스케
님,
방금 것은!!!

흐읍!!!

그워어어!!!

나가!!!

번쩍

나가!!

나가!!!

이 녀석,
작작 좀
………

굉장해!!
용이 된 육체를
통제한 거야?

프아앗!!!

조준이
정확하지
않소!!

………
……!!

콰

털썩털썩털썩…

우워어 ~~~!!!

마을을 모조리 불태울 참인가.

나 원…

ㅋㅋ

영차.

아~아…

쑤욱ㅇ!!

?!

파직 파직!!

반쪽짜리 카이도 놈 같으니… 입에서 꼬리까지 꼬챙이로 만들어 주마.

그럴 작정이라면 알겠다.

——그나저나 무시무시한 패기가 날아들었군.

제법인걸, 모모….

나설 차례는 없겠어.

사라졌네!! 이히히!!

그치!! 그거 뭐였을까?

그리운 얼굴이 떠올랐는데.

《원피스》 105 권을 기대해 주세요!!

CHAMP COMICS

원피스 104

2023년 11월 23일 초판 인쇄
2023년 11월 30일 초판 발행

저자 : EIICHIRO ODA
역자 : 길명
발 행 인 : 황민호
콘텐츠1사업본부장 : 이봉석
책임편집 : 조동빈 /정은경
발행처 : 대원씨아이(주)

ISBN 979-11-6979-152-6 07830
ISBN 978-89-8442-320-6 (세트)

서울특별시 용산구 한강대로 15길 9-12
전화 : 2071-2000 FAX : 797-1023
1992년 5월 11일 등록 제1992-000026호

ONE PIECE

● Korean edition, for distribution and sale in Republic of Korea only.
● 이 책의 유통판매 지역은 한국에 한합니다.
● 잘못 만들어진 책은 구입하신 곳에서 바꾸어 드립니다.
● 문의 : 영업 (02)2071-2074 / 편집 (02)2071-2027

www.dwci.co.kr